KB197272

서석영 글

조금 더 행복하고, 따뜻하고, 재미난 세상을 꿈꾸며 글을 쓰고 있습니다.
그동안 《욕 전쟁》, 《고양이 카페》, 《날아라, 돼지 꼬리!》, 《엄마는 나한테만 코브라》, 《가짜렐라, 제발 그만해!》, 《위대한 똥말》, 《걱정 지우개》, 《착한 내가 싫어》, 《공부만 잘하는 바보》, 《아빠는 장난감만 좋아해》, 《가족을 빌려줍니다》, 《책 도둑 할머니》, 《엄마 감옥을 탈출할 거야》, 《엄마 아빠는 전쟁 중》, 《무지막지 막무가내 폭탄 고양이》, 《베프 전쟁》, 《더 잘 혼나는 방법》, 《나를 쫓는 천 개의 눈》 등 많은 동화와 《코끼리 놀이터》, 《박스 놀이터》 그림책을 썼고, 샘터동화상, 한국아동문학상, 방정환문학상을 받았습니다.

연수 그림

얼핏 들여다보면 평범하지만 자세히 보면 색다른 그림책을 쓰고 그립니다.
쓰고 그린 책 《이상한 하루》로 2019년 황금도깨비상 대상을 받았습니다.
《이상한 동물원》을 쓰고 그렸고, 그린 책으로 《할머니의 지청구》, 《나무가 좋아요》, 《지구의 일》, 《배를 그리는 법》, 《별국》이 있습니다.

토끼 귀가 길어진 이유

The Reason Why Rabbit Ears Got Longer

1판 1쇄 | 2023년 10월 30일

글 | 서석영
그림 | 연수

펴낸이 | 박현진
펴낸곳 | (주)풀과바람
주소 | 경기도 파주시 회동길 329(서패동, 파주출판도시)
전화 | 031) 955-9655~6
팩스 | 031) 955-9657
출판등록 | 2000년 4월 24일 제20-328호
블로그 | blog.naver.com/grassandwind
이메일 | grassandwind@hanmail.net

편집 | 이영란
디자인 | 박기준
마케팅 | 이승민

©글 서석영, 그림 연수, 2023

이 책의 출판권은 (주)풀과바람에 있습니다.
저작권법에 의해 보호를 받는 저작물이므로 무단 전재와 복제를 금합니다.

값 14,000원
ISBN 979-11-7147-016-7 77810

※ 잘못 만들어진 책은 구입처에서 바꾸어 드립니다.

제품명 토끼 귀가 길어진 이유 | **제조자명** (주)풀과바람 | **제조국명** 대한민국
전화번호 031)955-9655~6 | **주소** 경기도 파주시 회동길 329
제조년월 2023년 10월 30일 | **사용 연령** 3세 이상
KC마크는 이 제품이 공통안전기준에 적합하였음을 의미합니다.

⚠ **주의**
어린이가 책 모서리에 다치지 않게 주의하세요.

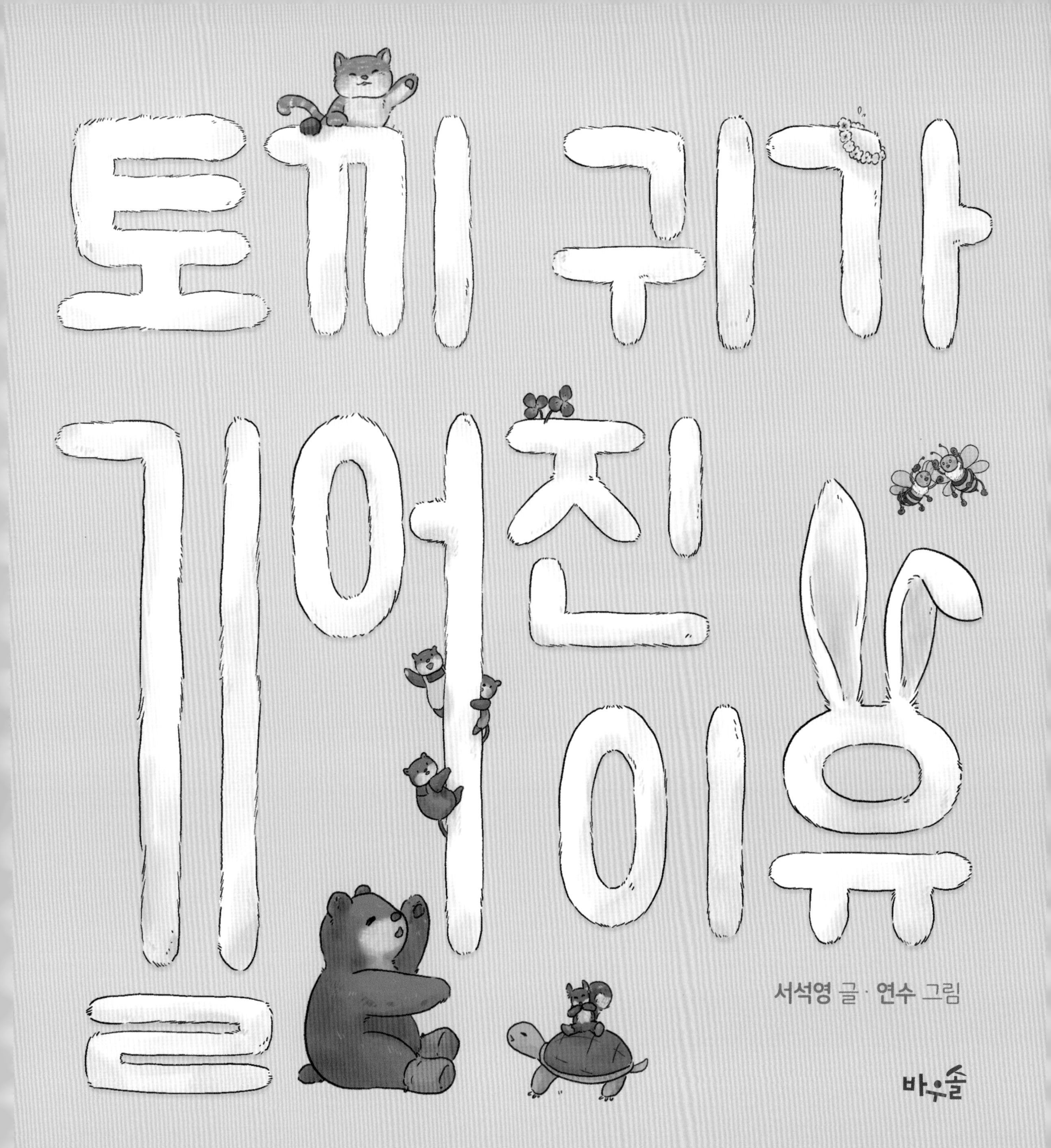
토끼 귀가 길어진 이유
서석영 글 · 연수 그림
바우솔

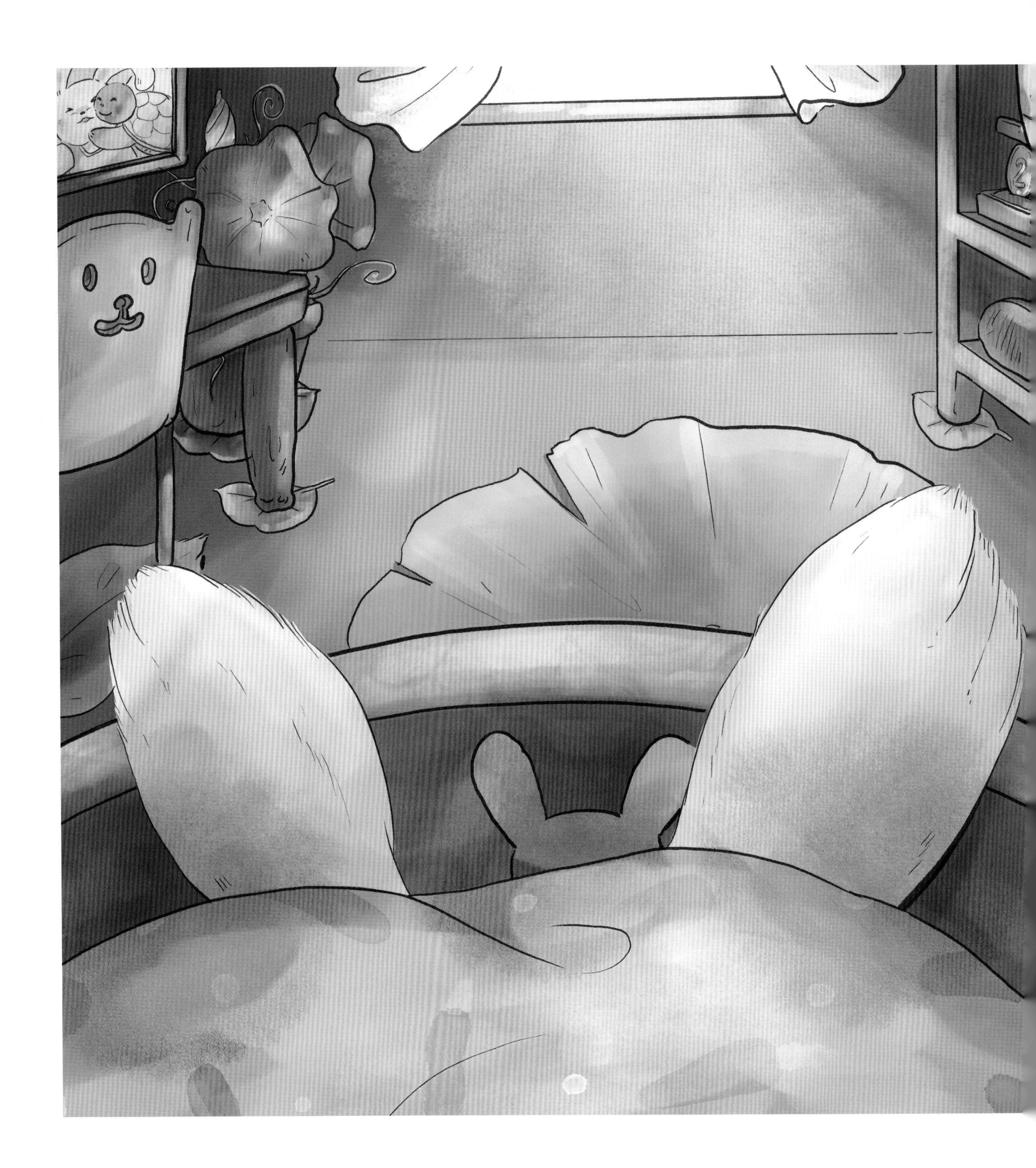

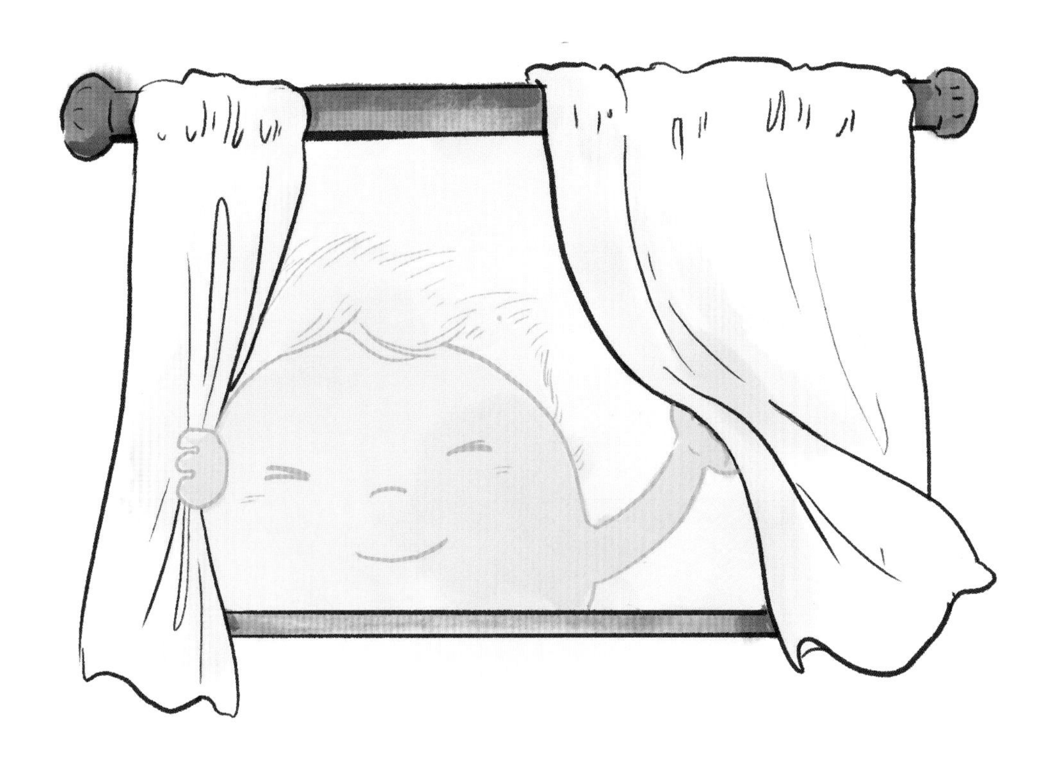

햇살의 간지럼에 눈을 뜨니
해님이 날 보고 방긋 웃었어.

해님은 내가 깨길 기다리고 있었나 봐.

냠냠 맛있는 아침이 차려졌어.

당근, 사과, 시금치, 배춧잎, 마른풀 ……
세상엔 맛있는 게 너무 많아 행복해.

밖에 나오니 바람이 살랑댔어.

풀 냄새, 꽃향기를 맡으면 기분이 좋아.

"와, 토끼다."

모두 날 반겨줘.

"어쩜 저렇게 예쁠까."

"토끼는 똥도 예뻐."

모두 날 예뻐해.

난 뭐든 다 예쁘대.

“토끼야, 왜 눈이 빨개? 아파?”

“혹시 엄마한테 혼나고 운 거야?”

어디 아픈지, 괜찮은지 자꾸자꾸 물어.

"털이 어쩜 이렇게 부드럽고 따스할까?"

내 옷은 정말 포근하고 따뜻해.
온 세상이 내 옷처럼
포근하고 따뜻하면 좋겠어.

“토끼는 귀가 정말 크고 길다.”

맞아. 내 귀는
정말 크고 길어.

엄마 말 들으려고 쫑긋대다

귀가 커졌고

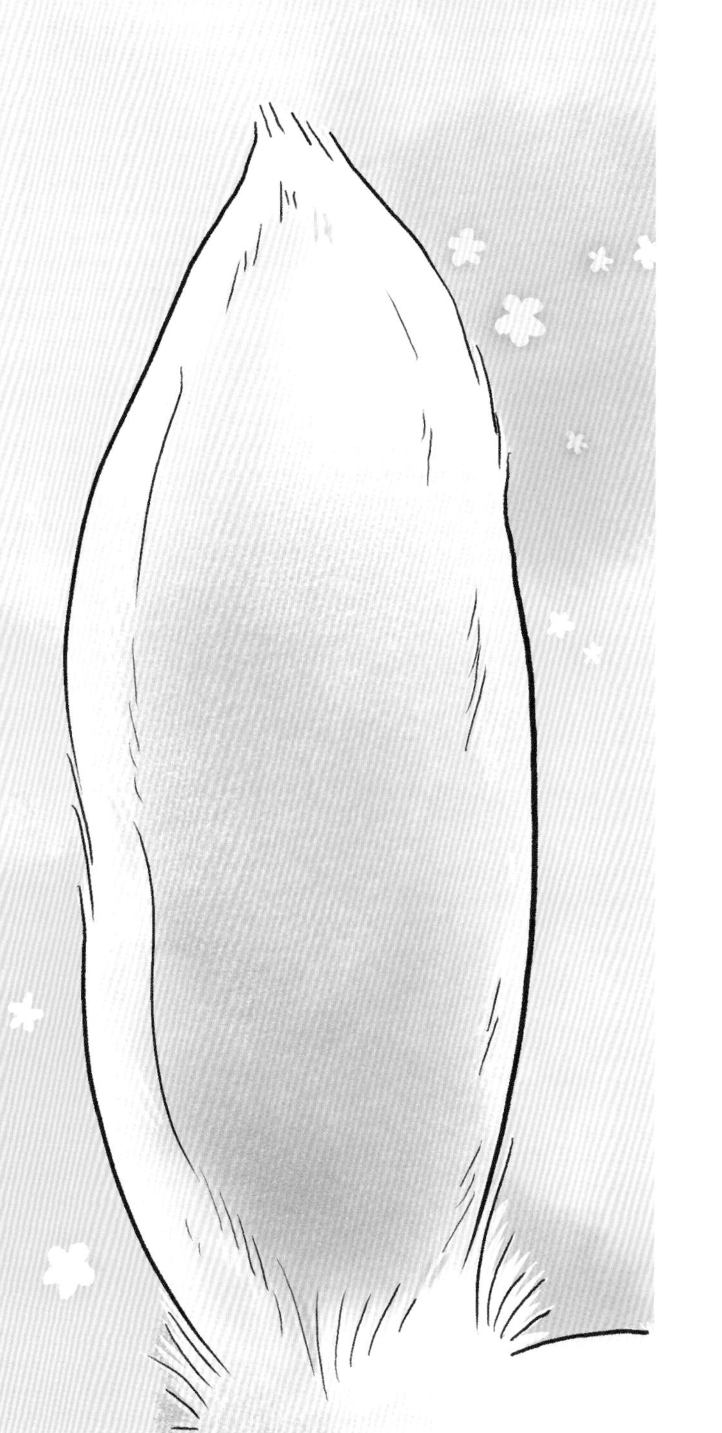

친구 말 들으려고 쫑긋대다

귀가 길어졌어.

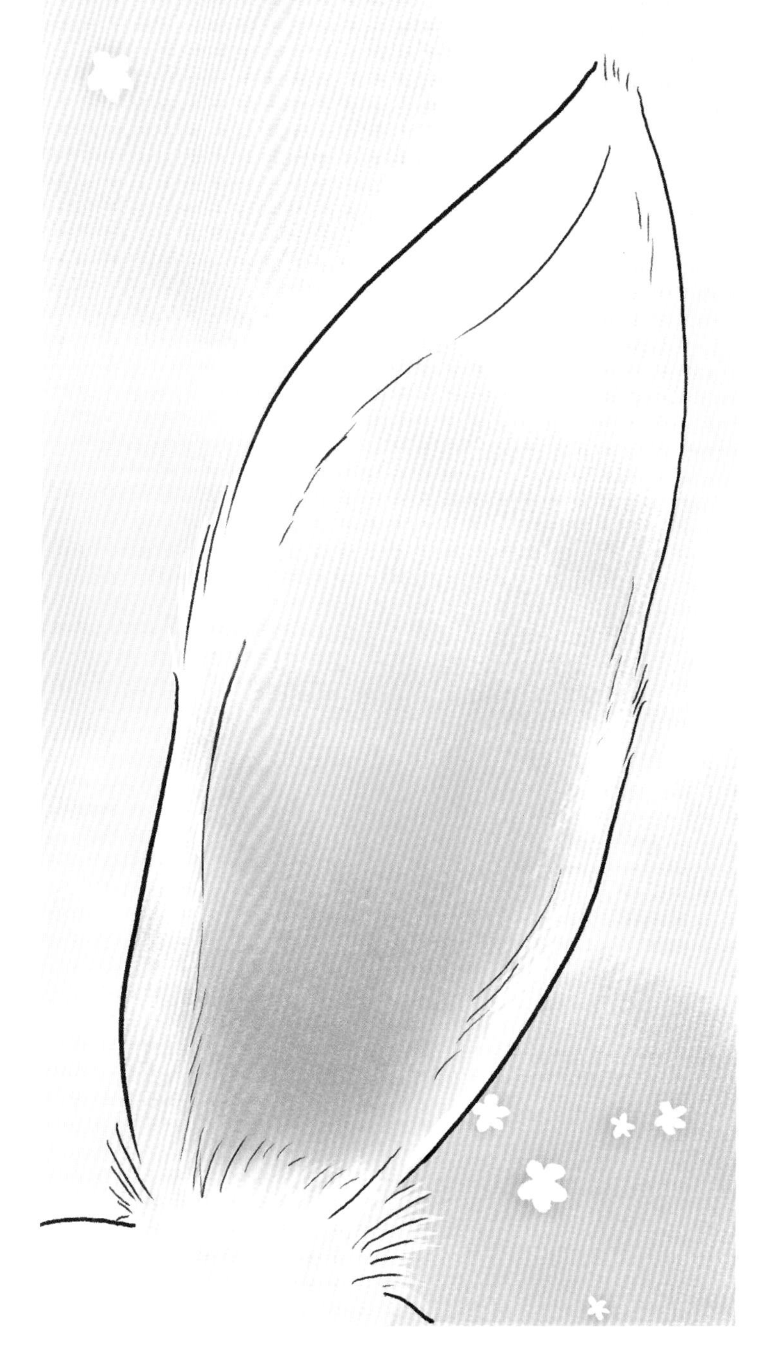

"이리 와서 놀자~."

친구가 날 부르는 소리야.

친구가 있어 행복해.

친구를 만나러 갈 땐

콩닥콩닥 가슴이 뛰어.

"토끼는 깡충깡충 정말 잘 뛴다."

맞아. 난 정말 잘 뛰어.

지금 시합해도 돼.

듣고 싶은 말이 많아 귀가 간질간질
하고 싶은 말이 많아 입이 간질간질
친구랑 있으면 자꾸 웃음이 나와.

풀꽃 반지, 풀꽃 목걸이도 만들고
훨훨 나는 나비를 쫓아 풀밭을 달리고
떼굴떼굴 언덕을 굴렀어.

같이 놀 수 있는 친구가 있어 행복해.

언덕 너머로 해가 지고 있어.
아쉽지만 이제 헤어질 시간이야.

돌아갈 집이 있어 행복해.
그리고 집에 가면 가족이 있잖아.

5
6
7

도란도란 종알종알

할 이야기가 너무 많아.

아마 오늘도 잠들 때까지 얘기할 거야.

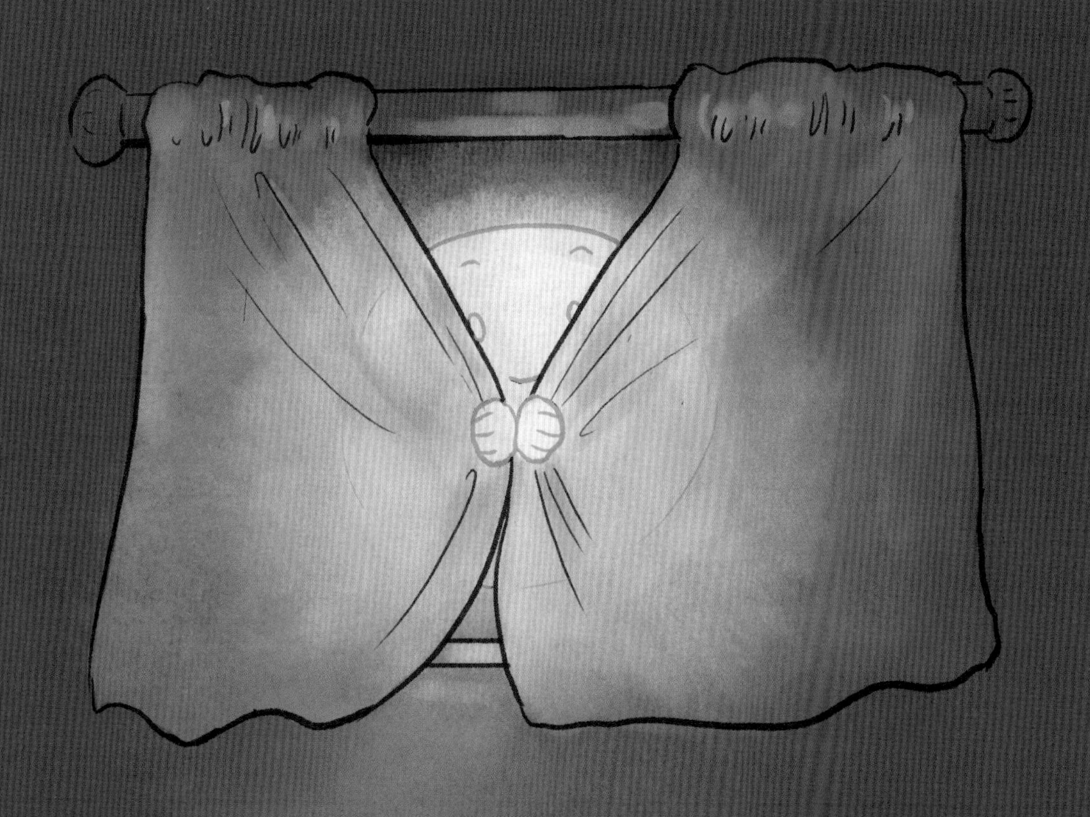

행복한 하루였어.

난 정말 행복해.